D1097807

Responsable éditoriale : Laura Levy
Assistante éditoriale : Adrienne Heymans
Responsable du studio graphique : Alice Nominé
Création graphique et mise en pages : Eloïse Jensen
Responsable fabrication : Jean-Christophe Collett
Fabrication : Lucile Pierret

La Chèvre de monsieur Seguin

D'après le conte d'Alphonse Daudet
Illustrations de Jean-Claude Gibert

AUZOU

Il était une fois un vieil homme qui perdait toutes ses chèvres de la même façon : un beau matin elles cassaient leur corde, s'en allaient dans la montagne et, là-haut, le loup les mangeait. Or un jour, le vieux monsieur Seguin, après avoir perdu six chèvres, décida d'en acheter une septième qu'il appela Blanquette.

Monsieur Seguin était heureux car la jeune chevrette ne s'ennuyait pas. Jusqu'au jour où elle se dit, en regardant la montagne :
« Comme on doit se sentir bien là-haut ! Quel plaisir de gambader dans la bruyère, sans cette maudite longe ! »
À partir de ce moment, l'herbe du clos lui parut fade.
L'ennui lui vint. Elle maigrit, et son lait se fit rare.

Un matin, comme monsieur Seguin achevait de la traire, la chèvre se retourna et lui dit :
« Je m'ennuie chez vous, laissez-moi aller dans la montagne.
– Ah ! Mon Dieu ! Comment, Blanquette, tu veux me quitter ?
– Oui, monsieur Seguin.
– Mais, malheureuse ! Tu ne sais pas qu'il y a le loup dans la montagne ? Il a mangé la pauvre vieille Renaude, une maîtresse chèvre, méchante et forte comme un bouc. Elle s'est battue avec le loup toute la nuit... puis le matin, il l'a dévorée.
– Pauvre Renaude ! Ça ne fait rien, monsieur Seguin, laissez-moi aller dans la montagne. »

Le vieil homme, craignant pour sa chèvre, l'installa dans une étable toute noire, dont il ferma la porte à double tour. Malheureusement, il avait oublié la fenêtre et Blanquette se sauva... Quand la chèvre arriva dans la montagne, elle se vautra dans l'herbe verte. Elle passa une magnifique journée... Mais en peu de temps, le soir était là.

En bas, les champs étaient noyés de brume. Le clos de monsieur Seguin disparaissait dans le brouillard. Puis, tout à coup, un hurlement dans la montagne se fit entendre. Elle pensa au loup. De tout le jour la follette n'y avait pas songé... Au même moment, une trompe sonna bien loin dans la vallée. C'était ce bon monsieur Seguin qui tentait une dernière fois de la rappeler.

Blanquette eut envie de rentrer. La trompe se tut…
La chèvre entendit derrière elle un bruit de feuilles.
Elle se retourna et vit dans l'ombre deux courtes oreilles, dressées en pointe et deux yeux luisant dans l'obscurité…
C'était le loup. Gigantesque, immobile, assis sur ses pattes arrière, il était là, regardant la petite chèvre blanche.

Blanquette se sentit perdue… Puis, songeant à la vieille Renaude qui s'était battue toute la nuit pour être dévorée au matin, elle tomba en garde, la tête basse et la corne en avant, comme une brave chèvre de monsieur Seguin qu'elle était. Non pas qu'elle eût l'espoir de tuer le loup, mais seulement pour voir si elle pouvait lutter aussi longtemps que la Renaude…

Alors, le monstre s'avança, et les petites cornes entrèrent en danse. Ah ! La brave chevrette, comme elle y allait de bon cœur ! Plus de dix fois elle força le loup à reculer pour prendre haleine. Pendant ces trêves d'une minute, la gourmande cueillait alors, à la hâte, un brin de cette bonne herbe ; puis elle retournait au combat, la bouche pleine…

La bataille dura toute la nuit. De temps en temps,
Blanquette regardait les étoiles danser dans le ciel clair,
et elle se disait : « Oh ! Pourvu que je résiste jusqu'à l'aube ! »
L'une après l'autre, les étoiles s'éteignirent.
Blanquette redoubla de coups de cornes,
le loup augmenta ses coups de dents…

Soudain, une lueur pâle parut à l'horizon.
Le chant d'un coq enroué monta d'un poulailler.

« Enfin ! » dit la pauvre bête, qui n'attendait plus que le jour pour mourir. Elle s'allongea alors par terre dans sa belle fourrure blanche toute tachée de sang... Aussitôt, le loup se jeta sur la petite chèvre et la dévora.